De wensballonnen

Leonie Kooiker

De wensballonnen

tekeningen van
Magda van Tilburg

Zwijsen

AVI 6

0 1 2 3 4 5 / 95 94 93 92 91

ISBN 90.276.1896.8
NUGI 220

© 1991 Tekst: Leonie Kooiker
Omslag en illustraties: Magda van
Tilburg
Uitgeverij Zwijsen b.v. Tilburg

Voor België:
Uitgeverij Infoboek n.v. Meerhout
D/1991/1919/82

STICHTING NEDERLANDSE
KINDERJURY
1992

Inhoud

Een oude oma

Er was eens een oude oma.
Ze woonde aan de rand van het bos, heel
eenzaam.
Ze had geen kinderen meer en ook geen
kleinkinderen.
Die waren allemaal dood.
Behalve één kleinkind.
Maar dat woonde vreselijk ver weg.
Daar had ze dus niet veel aan.
Heel zielig was het.
Gelukkig had ze wel een kat om tegen
te praten.
Eén keer in de week deed ze
boodschappen in het dorp.
Een saai leven, maar dat was ze nu
eenmaal gewend.
Ze wist niet dat er een fee in het bos
woonde.
De fee woonde in de alleroudste boom.
Heel hoog tussen takken vol kronkels.
Een enkele keer kwam ze buiten het bos.

Dan leek ze net een gewone mevrouw.
De oude oma had haar nooit ontmoet.

Maar de fee kende oude oma wel.
En op een keer ging ze bij haar op
bezoek.
Ze deed het hekje open en belde aan.
,,Wie zou daar zijn?'' zei oude oma tegen
haar kat.
Ze deed de deur een klein eindje open.
Ze zag een dame met een vriendelijk
gezicht.
,,Mag ik even binnenkomen?'' vroeg de
dame.
,,Wat komt u doen?'' vroeg oma.
Ze had het niet erg op vreemden.
,,Ik breng een geschenk,'' zei de fee.
Oma zei: ,,Ik koop niet aan de deur.''
,,Maar een geschenk kost geen geld.''
,,Vooruit dan maar.''
Oude oma liet de fee in de huiskamer.
De fee ging bij de tafel zitten.
En de kat sprong op haar schoot.
,,U had het over een geschenk,'' zei oma.

,,Wat bedoelt u daar eigenlijk mee?''

,,Je mag een wens doen.''

Oma zei: ,,Ik houd niet van loterijen.''

En ze dacht: Wat is dit voor een mens?

Kan ze niet netjes u tegen mij zeggen?

Toen zei de vriendelijke dame:

,,Ik ben geen mens, maar een fee.

Ik woon niet ver hiervandaan.

Bedenk maar een wens.''

,,Daar moet ik even over denken,'' zei
oude oma.

,,Goed,'' zei de fee.

,,Ik kom morgen terug.''

En ze stond op om weg te gaan.

,,Wacht even,'' zei oude oma.

,,Ik weet al iets.''

Ze dacht: straks is ze weg.

Laat ik maar snel iets wensen, voor het te
laat is.

,,Ik zou wel graag een wensparaplu willen
hebben.''

,,O juist,'' zei de fee. ,,Een
wensparaplu.''

,,Ja,'' zei oma. ,,Ik weet dat ze bestaan.

Je wens komt uit als je de paraplu
opendoet.
Of juist dicht, dat weet ik niet meer.
Er moet wel duidelijk op staan hoe het
werkt."
,,O juist," zei de fee nog een keer.
,,Nu, daar moet ík even over denken."
En weer stond ze op om weg te gaan.
,,Wilt u een kopje thee?" vroeg oude
oma vlug.
,,Of zal ik een glaasje fris inschenken?"
,,Doe geen moeite, ik kom morgen
terug."
Er kwam een zuchtje wind in de
huiskamer.
En weg was de fee.
Oude oma zei tegen haar kat:
,,Ik ben benieuwd wat daarvan komt."

Het geschenk van de fee

Het was woensdag, de dag voor de
boodschappen.
Maar oude oma ging de deur niet uit.
,,Deze week ga ik donderdag,'' zei ze
tegen de kat.
,,Vandaag krijg ik misschien bezoek.''
Om twee uur werd er niet gebeld.
Om drie uur nog niet.
Het werd vier uur, geen fee.
Om vijf uur dacht oude oma: ze komt
niet meer.
Om half zes werd het al donker.
Zzzoeff, een windvlaagje in de
huiskamer.
En daar was ze dan.
,,Ik zat er een beetje mee,'' zei de fee.
,,Mijn geschenk was één wens, eentje
maar.
En in een wensparaplu zitten er wel
honderd.
Je bent een slimmerd, oude oma.''

Oude oma werd een beetje verlegen.
,,Och ja, ik bedacht het zomaar opeens.''
,,Nu, honderd wensen geef ik niet weg,''
zei de fee.
,,Maar ik meen het goed met je.
Daarom krijg je er tien.''
,,O, eh... dat is erg aardig,'' zei oude
oma.
,,Wat moet ik doen?''
Er kwam een glimlach op het gezicht van
de fee.
,,Voorzichtig zijn,'' zei ze.
,,Goed nadenken voordat je iets wenst.''

Toen hield ze haar beide handen omhoog.
Boven in de kamer verscheen een kleurige
vlek.
En opeens waren er tien grote ronde
luchtballonnen.
Elke ballon had een andere kleur.
Ze zaten vast aan touwtjes.
De touwtjes zaten aan een lange stok.
,,Dit zijn wensballonnen,'' zei de fee.
,,In elke ballon zit een wens.
Geluk ermee.''
Zzoeff, weg was ze.

Oude oma had niet eens tijd om
dankjewel te zeggen.
,,Dat is ook wat,'' zei ze tegen de kat.
,,Ballonnen, wat moet ik daar nou mee?
Hoe werkt een wensballon?
Het staat er niet op.''
Ze werd zelfs een klein beetje kribbig.
Want haar huiskamer was maar klein.
De ballonnen waren heel groot en bont
gekleurd.
Ze pasten helemaal niet bij haar meubels.

Eigenlijk wist ze nog steeds geen echt
goede wens.
Wel een heleboel kleintjes, maar dat was
natuurlijk zonde.
Oude oma mopperde tegen haar kat:
,,Daar zit ik mooi mee opgescheept.
En nu is het te laat om boodschappen te
doen.
Mijn hele programma loopt in de war.''

Oude oma ging vroeg naar bed.
Eerst kon ze de slaap niet vatten.
Ze lag maar te dubben wat ze zou
wensen.
En hoe moest het?
Prikken in zo'n ding?
Waarom zat er niet een
gebruiksaanwijzing bij?
Later droomde ze dat de ballonnen haar
meenamen.
Ze hield zich vast aan de stok en ze vloog
door de lucht.
O help, droomde oma.
Ik kan me niet meer vasthouden.

Ik val!
Het was helemaal niet prettig.
Het was eng.

Toen het ochtend was stond ze op.
De zon scheen in de huiskamer.
Bovenin bewogen zachtjes de ballonnen.
De kat kon er gelukkig niet bij.
Oude oma pakte haar geld en haar
boodschappentas.
Ze deed de deur op slot en wandelde naar
het dorp.
De ballonnen liet ze achter.
Ze kon toch niet de straat op met een
luchtballon.
Veel te gek.

De kermisman

Vlak bij het huisje van oude oma stond
een bus.
Het was een gammele bus vol deuken.
Maar hij was mooi beschilderd.
Met rode letters stond erop:
Toons gelukstent.
Oude oma liep er vlug voorbij.
Toen ze terugkwam, stond de bus er nog.
Een man zat aan de motor te prutsen.
Hij had een groen fluwelen jasje aan.
En hij had een prachtige pikzwarte snor.
Dat was natuurlijk Toon.
Oude oma liep er nog eens vlug voorbij.
Maar toen ze binnen was, keek ze door
het raam.
Hoe lang zou die oude bus daar blijven
staan?
Het leek wel een ding van de kermis.
Net de kleuren van haar wensballonnen.
Au! Ze stootte haar hoofd tegen de stok.
En toen kreeg oude oma een idee.

Ze pakte de stok en ging ermee naar
buiten.

Op een holletje liep ze naar de oude bus.
,,Meneer, meneer? Bent u van de
kermis?"
,,Ik hoop er vandaag nog te komen,
mevrouw."
,,Wilt u daar misschien luchtballonnen
verkopen?"

Toon kwam verbaasd overeind.
Een oude mevrouw met tien ballonnen.
Dat zie je niet iedere dag.
,,Wat moeten ze kosten?"
,,Niets. Het is een geschenk," zei oude
oma.
,,Ik weet er geen raad mee, meneer.
Het zijn wensballonnen."
Toon nam de stok van haar over.
,,Schitterend," zei hij. ,,Wensballonnen?
Nou, dan wens ik dat mijn bus het weer
doet."
Pats, een groene ballon spatte uit
elkaar.
,,Hé, erg sterk zijn ze niet, mevrouw.
Maar evengoed bedankt."

Oude oma stapte vlug naar huis.
Toon kroop in zijn overvolle bus.
Hij vond met moeite een plekje voor de
ballonnen.
Daarna ging hij door met zijn motor.
Ach kijk, daar zat een klein kabeltje
los.
Toon maakte het kabeltje weer vast.
Hij startte en de motor deed het meteen.
Hobbelend reed hij de straat uit.

Oude oma keek hem na door het raam.
,,Daar gaan ze,'' zei ze tegen de kat.
,,Nu ik weet hoe het werkt, ben ik ze
kwijt.''
Een klein beetje spijt had ze wel.
Maar het was ook een opluchting.
,,Ik wist niet eens één goede wens,
laat staan tien.
Kinderen op de kermis hebben wel
honderd wensen.''

Toon reed in een keer door naar de
kermis.

Onderweg dacht hij: als ik nog maar een plaatsje vind.

Het is zo laat.

Hij wenste heel sterk een mooi plekje op de kermis.

Toen hij dat deed, sprong er weer een ballon kapot.

Toon zei: ,,Die dingen zijn ook niet veel waard.

Ik hoop dat ze heel snel verkocht zijn.''

Pats.

Nu waren er nog maar zeven.

,,Daar moet ik vanaf,'' zei Toon.

,,Binnen de kortste keren.''

Toon liet zijn bus staan waar hij stond.

Hij pakte de stok met ballonnen en liep het plein op.

,,Mooie ballonnè!

De allerbeste, de allersterkste!

Hier moet je wezen. Ballonnè!''

Er kwam meteen een meisje op af.

Ze heette Violet en ze koos een paarse luchtballon.

Dat vond ze de mooiste kleur.

Ze zei: ,,Zo'n mooie ballon heb ik nog
nooit gezien.''
Het is vaak zo met toverdingen:
Ze zien er net iets anders uit dan
gewoon.
Toon had echt de mooiste ballonnen van
de kermis.
In een kwartier was hij ze allemaal kwijt.
En toen vond hij ook nog een plekje.

Midden op het plein stond de
poffertjeskraam.
Een draaimolen was er wat slordig naast
gezet.
Er bleef nog ruimte over.
Juist genoeg voor Toons gelukstent.
Heel voorzichtig reed Toon zijn bus
tussen het publiek door.
Hij draaide om de poffertjeskraam heen.
Het ging net.
,,Dat is geluk hebben!'' riep de
draaimolenman.
,,Zeker weten,'' zei Toon.
Hij klapte de zijkant van zijn bus open.

Daar hingen wel honderd touwen.
Voor twee kwartjes mocht je trekken.
Dan kreeg je een beer of een pop.
Hij had zelfs een paar wekkers.
En er waren ook touwen waar een briefje
aan zat.
Veel geluk, stond er op die briefjes.
Maar iemand die er zo een trok, had
pech gehad.

Drie wensen

Het was erg vol op de kermis.
In de drukte liepen zeven kinderen met
een wensballon.
Een van die kinderen was Rikkie.
,,Opa,'' zeurde Rikkie.
,,Ik wil zo graag een suikerspin.''
,,Moet dat nou?'' zei opa.
,,Je hebt net zo'n mooie rode ballon
gekregen.''
Maar de ballon zei: pats.
Het jongetje kreeg als troost een
suikerspin.

De ballon van Tim was hemelsblauw.
Hij liep met zijn vader op de kermis.
Hij mocht in het spookhuis en in de
draaimolen.
De hele tijd hield hij zijn ballon
stevig vast.
Toen kwamen ze bij Toons gelukstent.
Daar mocht Tim aan een touw trekken.

Aan het eind zat een heel klein
vliegtuigje.
,,Mooi?'' vroeg zijn vader.
Tim zei: ,,Ik vind er niet veel aan.
Ik wou dat het echt kon vliegen.''
Plotseling knapte de hemelsblauwe
ballon.
Het vliegtuigje begon te brommen.
Tim schrok ervan en liet het los.
Het kleine dingetje vloog omhoog.
Het draaide rondom de bus van Toon.
Toen om de draaimolen heen en weer
terug.

Voor zijn voeten viel het op de grond.
,,Dat is mooi speelgoed,'' zei de vader.
,,Hoe werkt het?''
,,Op een batterij,'' zei Toon.
Tims vader bekeek het kleine vliegtuigje
goed.
Er zat helemaal geen batterij in.
Nou ja, op de kermis kun je alles
verwachten.
,,Kom Tim, zullen we een hapje gaan
eten?''
Ze liepen door naar de poffertjeskraam.

Toon was nog erger geschrokken dan
Tim.
In het vliegtuigje zat geen batterij.
Dat wist hij heel goed.
Het was een goedkoop prutsding.
Zoiets kan niet vanzelf gaan vliegen.
Toon had ook gezien dat de ballon was
geknapt.
Dat oude mens had het over
wensballonnen.
Kletskoek natuurlijk.
Geen ogenblik had Toon dat geloofd.
Maar het jongetje had gewenst dat zijn
vliegtuigje vloog.
Hij had het met zijn eigen ogen gezien.
Wat had hij zelf gewenst?
Een mooi plekje.
Nu had hij de beste plaats van de hele
kermis.
Hij had gewenst dat hij alle ballonnen
snel zou verkopen.
In een mum was het gelukt.
Toon begon in zichzelf te mompelen:
,,Zouden er dan toch echte

wensballonnen bestaan?
Maar dan wil ik ze terug hebben.
Als het zo makkelijk gaat...
Ik heb nog wel meer te wensen.
Nog veel meer: een nieuwe bus, een
voorraad prullen.
En wat dacht je: een zak vol geld.
och, dat lukt natuurlijk nooit.
Maar het is te proberen."
Toon liet zijn gelukstent in de steek.
Boven de hoofden danste hier en daar
een luchtballon.
Die van hem waren goed herkenbaar.
Feller van kleur en glanzender.
Echte wensballonnen.
Ha, daar zag hij er een.
Toon draafde er op af.

Karin liep op de kermis met Merel, haar
vriendin.
Ze had een gele ballon van Toon
gekocht.
,,Een ballon, kinderachtig," had Merel
gezegd.

,,Wat heb je daar nou aan?''

,,Ik vind hem mooi,'' zei Karin.

,,Het is net een zon.''

,,Je moet hem laten vliegen met je adres eraan.

Dan krijg je een brief van iemand.''

,,Nee, ik houd hem.''

Ze liepen allebei op een zuurstok te sabbelen.

Karin keek telkens omhoog naar haar zon.

,,Hé zus,'' hoorde ze. ,,Wacht eens even.''

Karin keek vlug even om.

,,Die ballon daar, die wil ik van je kopen.''

Het was die man met de grote zwarte snor.

Ze deed of het haar niet aanging.

Toon tikte op haar arm.

,,Juffrouw, je kunt je geld terugkrijgen.

Die ballon is niet in orde.

Hij moet terug naar de fabriek.''

,,Och man, ga weg.''

,,Je kunt een nieuwe van me krijgen.''
Nu werd Karin boos.
,,Je krijgt hem niet terug.
Ik heb hem eerlijk gekocht.''
De vriendinnen gingen harder lopen,
Toon ook.
Merel werd een beetje bang en Karin
riep:
,,Nare man, ik wou dat je op het dak
zat.''
Pats, zei de ballon.
Weg was Toon.
Waar was hij gebleven?

In de poffertjeskraam

Toon was op het dak van de
poffertjeskraam terechtgekomen.
Dat bestond uit dunne plankjes met
zeildoek erover.
Door het gewicht van Toon kraakten de
plankjes.
In het zeildoek kwam een diepe kuil.
En in de kuil ontstond een scheurtje.
De mensen in de kraam zagen een grote
vuile schoen.
En toen scheurde het hele dak
doormidden.
Toon zakte erdoor.
Juist boven de glimmende koperen
beslagpot.
Zijn grote vuile schoen schoot in het
beslag.
En Toon rolde met pot en al van de tafel
af.
De kleverige klodders spatten alle
kanten uit.

Sommige mensen begonnen te gillen.
Anderen moesten hard lachen.

De baas van de poffertjeskraam was
woest.
Hij stoof op Toon af met een enorme
pollepel.
En Toon kreeg een klap op zijn hoofd.
Suffig keek hij om zich heen.
Hij begreep toch al niet wat er was
gebeurd.
De baas wilde hem flink aftuigen.
Gelukkig hield zijn vrouw hem tegen.
,,Man, wat deed je op ons dak?'' vroeg
de vrouw.
,,Dat deed de ballon,'' zei Toon.
Ze keek hem eens goed aan.
,,Die is niet goed wijs,'' zei ze nuchter.
,,Kan wel zijn,'' zei haar man.
,,Maar hij moet wel de schade betalen.''
En daar kwam Toon niet onderuit.
Zijn geldkistje werd omgekeerd.
En ook de spaarpot onder zijn matras.
Toen ging hij een emmertje water halen
om zich te wassen.
De draaimolenman hield een oogje op
zijn gelukstent.

Pas na een uur kon Toon weer zaken
doen.
Met een bult op zijn hoofd en in een
schoon pak.
Maar hij bleef uitkijken naar ballonnen.
In de poffertjeskraam zat de dikke
mevrouw Blom.
Aan haar tas was een touwtje
vastgebonden.
En daaraan zat een grote oranje
luchtballon.
Ze had hem gekocht voor haar kleine
nichtje.
Maar eerst wilde ze poffertjes eten.
Mevrouw Blom moest er lang op
wachten.
,,Het spijt ons, mevrouw,'' zei de baas.
,,We lopen wat achter.
Er is een man in het beslag gevallen.''
Ze vond het niet erg dat ze moest
wachten.
Maar ze kreeg wel steeds meer trek.
Eindelijk werd er een bordje bij haar
gebracht.

Ze propte de vette zoete poffertjes
achter elkaar naar binnen.
Mevrouw Blom lustte nog wel een portie.
En daarna had ze nog trek.
Pas na vier bordjes vond ze het genoeg.
Ze betaalde en waggelde de kraam uit.
Au, wat deden haar voeten zeer.
Stapje voor stapje sleepte ze zich voort.
Boven haar hoofd danste vrolijk de
oranje ballon.
Toon zag haar langs zijn gelukstent
schommelen.
Hij dacht: die dikkerd heb ik eerder
gezien.
Pas daarna zag hij de ballon.
Hij sprong op van blijdschap en riep:
,,Mevrouw, mevrouw!
Ja, ik heb het tegen u, mevrouw.
Het gaat over die luchtballon.''
Mevrouw Blom leunde vermoeid tegen de
klep van de bus.
,,Is er iets mee?''
,,Ja zeker mevrouw.
Er zit verkeerd gas in, heel gevaarlijk.

Hij moet terug naar de fabriek.''

,,Wat jammer,'' zei mevrouw Blom.

,,Zegt u dat wel.

Maar u krijgt natuurlijk uw geld terug.''

,,Goed hoor,'' zei ze.

En ze begon aan het touwtje te peuteren.

Toon stond te trappelen van ongeduld.

Hij had het geld al in zijn hand.

,,Zal ik even?''

,,Het gaat wel, geloof ik.''

Mevrouw Blom zuchtte diep.

Toen zei ze: ,,Mijn voeten zijn
zo moe.

Ik wou dat ik thuis was.''

De oranje luchtballon zei: pats.

En de dikke mevrouw was plotseling
verdwenen.

Een paar mensen keken verbaasd naar de
lege plek.

,,Die kan hard lopen.''

,,En dat voor iemand met zo'n postuur.''

,,Waar is ze zo gauw gebleven?''

Toon kon wel janken.

De botsauto's

Maarten en Matthijs hadden de laatste
twee ballonnen gekocht.
Toon had alleen nog maar een roze en
een witte.
Maarten had gezegd:
,,Jij mag de roze wel, als je dat graag
wilt.''
,,Okee,'' zei Matthijs.
Na een poosje zei Maarten: ,,Vind jij
roze ook een meidenkleur?''
,,Ja,'' zei Matthijs. ,,Een mooie
meidenkleur.
Maar wit, dat is geen kleur.
Wit is niks.''
,,Ik vind wit veel mooier dan roze.''
,,Nou, dat komt dan goed uit.''
,,Wat gaan we doen?''
,,In de botsauto's?''
,,Okee.''
,,Maar de ballonnen...''
,,Nou en... Die nemen we toch mee.''

Ze stapten in en wachtten.

,,Ik rijd je klem!'' zei Matthijs.

,,Ik rijd jou klem,'' zei Maarten.

,,Ik scheur door de bochten.''

,,Jouw kar gaat straks in de kreukels, Matthijs.''

,,O ja? En de jouwe.''

De ballonnen wipten ongeduldig boven hun hoofd.

De muziek stond knetterhard aan.

Toen gingen ze allemaal tegelijk rijden.

Maarten zei: ,,Ik wil dat het heel, heel, heel, lang duurt.''

Matthijs zei: ,,Ik wil dat mijn kar heel, heel, heel hard gaat.''

De twee ballonnen sprongen meteen kapot.

,,Niks aan te doen,'' dacht Maarten.

,,Nou, jammer dan,'' dacht Matthijs.

En toen had hij zijn handen vol aan het sturen.

Want zijn karretje ging echt heel, heel, heel hard.

En deze ronde duurde heel, heel, heel
lang.
Matthijs schoot als een wilde tussen de
andere botsauto's door.
Maarten wist niet wat hij zag.
Hij dacht er niet over zijn broer klem
te rijden.

Niemand deed dat trouwens.
Ze bleven wel uit zijn buurt.
De baas stond er ook van te kijken.
,,Moet je die daar zien,'' zei hij tegen
zijn zoon.
,,Dat gaat niet goed, pa,'' zei de jongen.
,,Welja, het gaat altijd goed.''

,,Zet hem af,'' zei de zoon.

,,Straks moet je schade betalen.

Een hand eraf, een voet ergens tussen.

Zet hem nou af, pa!''

,,Dat probeer ik al, jongen.''

De karretjes raasden door.

Matthijs zat met een wit gezicht te sturen.

Het was eng, maar het was ook fijn.

Toen wilde hij botsen, want dat hoort
erbij.

,,Maarten!'' riep hij.

,,Maarten, stuur mijn kant op!

Dan pik ik je op!''

Ja, dat zag Maarten wel zitten.

Boing! een schok, Matthijs vloog er pal
achterop.

Nu raasden ze samen als een stel gekken
in het rond.

Intussen zat de baas met hendels te
schuiven.

,,Doe niet zo stom pa, je hebt de
verkeerde.''

De zoon zou het wel even in orde maken.

Het hielp niets.

Maarten en Matthijs gingen nog sneller.

In een hoek zat een kluwen wagentjes
vast.

,,Heb je geen noodrem?'' riep iemand uit
het publiek.

,,Zet de stroom af, man,'' riep een
ander.

,,O ja,'' zei de baas.

,,Daar had ik niet aan gedacht.''

Een ogenblik later was het stil.

De muziek hield op, het licht ging uit.

Het was afgelopen.

Maarten en Matthijs stapten uit.

,,Wat denk je?'' vroeg Matthijs.

,,Hebben we de honderd gehaald?''

,,Vast wel.

We reden dik honderd, als het niet meer
was.''

De zoon van de baas zei: ,,Je had de
zenuwen, pa.''

,,Anders jij wel.

Als ik maar wist wat er fout zat.''

Ze zijn er nooit achter gekomen.

De paarse ballon

Violet had de eerste ballon van Toon
gekocht.
En nu was het de laatste wensballon.
Alle andere waren al stuk gewenst.
Op weg naar huis keek ze telkens naar
boven.
Het leek wel of er een lichtje in scheen.
,,Mooie ballon,'' zei Violet.
,,Ik wou dat ik je altijd kon houden.''
Dat was een verkeerde wens.
Als de wens uitkwam, zou de ballon
moeten knappen.
Maar als hij knapte, kwam de wens niet
uit.
Hij begon heel erg te trillen.
Even leek het of hij kapot zou gaan.
Violet zei: ,,Ballon, wat doe je?
Ben je ziek?''
Hij bibberde nog erger.
,,Houd je goed, ballon, heel blijven,
hoor.''

Toen hield het trillen langzaam op.
De ballon was nog heel.
Hij was er zelfs sterker door geworden.
Een supersterke wensballon.
Violet nam hem mee naar huis.
In haar kamertje liet ze hem los.
Hij dreef als een wolk in de hoogte.
Soms haalde ze de ballon naar zich toe.
Ze keek erdoor naar het licht van de
lamp.
Dan zag ze de kermis.

De draaimolen in het paars.
Of ze zag de bus van Toon met paarse
letters.
Zelfs zag ze een keer een paars bos.
Er stond een klein paars huisje bij.
Na een week had ze nog niets gewenst.
En de ballon bleef steeds maar mooi.
,,Vreemd hoor,'' zei haar moeder.
,,Meestal lopen ze leeg na een poosje.''
,,Deze is heel bijzonder,'' zei Violet.
En dat was waar.

Op een avond was Violet alleen in huis.
De buurvrouw paste op.
Violet zou op tijd gaan slapen.
Maar eerst wilde ze een poosje lezen.
Ze haalde een stapel tijdschriften.
Het waren tijdschriften voor grote
mensen.
Ze koos een damesblad.
Daar stond vaak iets over liefde in.
Het viel wel tegen.
Er was een patroon voor een breiwerk.
Drie manieren om een taart te bakken.

En kleren, kleren, kleren, stomme kleren.
Toen kwam er ook nog een
kinderverhaal.
Nou, dacht Violet, daarvoor heb ik dit
blad niet gepakt.
Maar ze ging het toch lezen.
Het verhaal heette: De wensparaplu.
Het ging over een paraplu.
Eerst deed je een wens.
Daarna moest je de paraplu opendoen.
De wens kwam dan uit.
Je wenste bijvoorbeeld een pond
zuurtjes.
Je deed de paraplu open.
En zzzst! het regende zuurtjes op je
hoofd.
,,O, als dat eens echt bestond,'' zei
Violet.
,,Wat zou ik vreselijk graag een
wensparaplu willen hebben.''
En op dat ogenblik knapte de paarse
ballon.
Jammer, dacht Violet.
Maar ja, zo gaat het.

Ze las het verhaal uit.
Ze bracht de tijdschriften op hun
plaats.
Toen kroop ze in bed en ging slapen.

De volgende dag vroeg haar moeder:
,,Hoe was het, Violet?
Is er iemand aan de deur geweest?''
,,Nee hoor.''
,,Je mag niet opendoen, als je alleen
bent.
Dat weet je toch?''
,,Er is niet gebeld.''
,,Van wie is dan die paraplu bij de
voordeur?''
,,Een paraplu?''
Bij de voordeur stond een paarse
paraplu, een grote.
Toen Violet hem zag, zei ze meteen:
,,Die is van mij.''
,,Hoe kom je eraan?''
,,Ik heb hem gewenst.
Het is een wensparaplu.
Ik ga meteen proberen of hij het doet.''

Een wensparaplu

Violet stapte de voordeur uit en ging op
de stoep staan.
Ze vouwde de paraplu open en ze zei:
,,Paraplu, ik wens...''
Wat zou ze nu eens wensen.
Een pond zuurtjes hoefde ze niet.
Een ijsje, daar had ze trek in.
,,Ik wens een ijsje, paraplu.
Aardbeienijs, graag met slagroom als het
kan.''

De paraplu bewoog wat door de wind.

En verder gebeurde er helemaal niets.

,,Dan maar een ijsje zonder slagroom.''

Er kwam geen ijsje.

Het moet zeker anders, dacht Violet.

Ze deed de paraplu weer dicht.

Toen zei ze eerst haar wens en deed hem
daarna open.

Ja hoor, opeens had ze een bekertje in
haar hand.

Onder een dikke klodder slagroom zag ze
roze ijs.

Het was een echte wensparaplu.

Violet nam haar grote paarse paraplu mee
naar school.

Ze zag er wel wat vreemd uit.

Maar dat kon haar niets schelen.

Wat zouden de kinderen op school
zeggen?

Ze kwamen allemaal om haar heen staan.

,,Ben je bang dat het gaat regenen,
Violet?''

,,Hoe kom je aan dat gekke ding?''

„Het is een toverding," zei Violet.
„Let maar eens op."
Ze zei: „Ik wens een pond zuurtjes."
Vervolgens deed ze de paraplu open en ...
Rikketikketik, daar regende het
zuurtjes om haar heen.
Ze begonnen allemaal meteen te
grabbelen.

,,Ben je jarig, Violet?''

,,Doe je het straks ook in de klas?''

,,Heb je nog meer? Ik heb er maar
eentje.''

,,Zal ik het nog eens doen?'' vroeg
Violet.

,,Weer zuurtjes of nu iets anders?''

,,Spekkies, Violet,'' zei Merel.

,,Nee, drop natuurlijk,'' zei Karin.

Violet deed nog twee keer haar
toverkunst.

Eerst wenste ze spekkies en daarna drop.

,,Ik snap niet, hoe je het doet,'' zei
Maarten.

,,Ik wens gewoon.

Het is een echte wensparaplu.''

,,Mag ik ook eens?''

Matthijs had de steel al beet.

,,Nee,'' zei Violet. ,,Je blijft eraf.''

,,Violet, laat er eens een konijn
uitkomen,'' zei Tim.

,,Nee, een paard,'' zei Rikkie.

,,Of een nieuwe fiets,'' bedacht Moniek.

De hele school dromde om haar heen.

,,Laat mij nou een keer,'' zei Matthijs
weer.
Violet vond het niet leuk meer.
,,Zit niet zo te dringen. Ga weg.''
En toen kreeg ze een idee.
Ze zei: ,,Nu ga ik iets geks wensen.
Ik wens, ik wens... dat ik de lucht in
vlieg.''
Ze deed de paraplu open en hield hem
heel hoog.
Een stormvlaag joeg over het schoolplein.
De paraplu werd opgelicht en Violet
vloog mee.
Stomverbaasd keken de kinderen haar na.
,,Dat... dat kan niet,'' zei Maarten.
,,Ze is weg,'' zei Matthijs.
Er was nog even een klein paars vlekje
te zien.
Toen verdween het in een wolk.
In de klas bleef het plaatsje van Violet
leeg.

Violet hield zich stevig vast.
Het ging best lekker.

Maar na een tijdje dacht ze: waar ga ik heen?
En even later: hoe moet ik terug?
Voorzichtig zei ze: ,,Paraplu, ik wens te dalen.''
Maar ze kon hem niet opendoen.
Hij was al open.
Ze durfde hem ook niet dicht te doen.
Misschien zou ze dan neerstorten.
,,Lieve paraplu, wil je alsjeblieft naar beneden gaan?''
De paraplu luisterde niet.
Ze moest mee, of ze wilde of niet.
Violet had een domme wens gedaan.

Oude oma krijgt bezoek

Oude oma zat in haar huisje bij het bos.
,,Ik ben dom geweest,'' zei ze tegen de
kat.
,,Een verkeerde wens doen is dom.
Maar helemaal geen wens doen is nog
dommer.
Nu ben ik al zo oud.
En nog doe ik dingen waar ik later spijt
van heb.
Ik zal het wel nooit meer leren.''
Ze had al tien wensen bedacht.
Maar de wensballonnen was ze kwijt.
,,Ik hoop dat de fee nog eens komt,'' zei
ze.
,,Misschien krijg ik dan toch nog één
wens van haar.''

Toen werd er gebeld.
Zou ze daar zijn?
Het was een man in een groen fluwelen
jasje.

Hij had een grote zwarte snor: Toon.

,,Mevrouw,'' zei Toon. ,,Een hele goeie middag.''

Oma hield de deur op een kier.

,,Mevrouw, ik kom u heel beleefd wat vragen.''

Hij duwde de deur en oma opzij en stapte naar binnen.

,,Het gaat over die ballonnen, mevrouw. Ik wou u netjes beleefd vragen:

Kan ik nog een partijtje van u krijgen?''

,,Nee,'' zei oma. ,,Ik heb er geen meer.''

En Toon zei: ,,Mooie kat heeft u daar, mevrouw.''

,,U kunt beter weggaan, meneer.

Ik handel niet in ballonnen.

Het was een geschenk.''

,,En wie was de schenker, als ik vragen mag?''

,,Een onbekende vrouw.''

Toon vroeg nog een poosje door.

Het haalde niets uit.

Oma wilde hem niet helpen en ze kon het ook niet.

Na een half uur gaf hij het op.
,,Dag mevrouw, beleefd bedankt voor het gesprek.''
Toon vertrok.
,,Ik hoop hem nooit weer te zien,''
zei oma tegen de kat.
Maar haar kat was geen wenskat.

Toon wandelde terug naar zijn gelukstent.
Hij keek omhoog naar de witte wolken.
Kwam er maar een verdwaalde
luchtballon voorbij.
Opeens zag Toon een paars vlekje in de lucht.
Een luchtballon? Het leek er wel op.
Er hing iets onderaan.
Was dat nu een kind of een pop?
Pijlsnel kwam het dichterbij.
En toen viel het aanhangsel eraf.
Het ding dat op een ballon leek, begon te wiebelen.
Een eindje verder viel het ook.
Het zal wel een pop geweest zijn, dacht Toon.

Maar die ballon moet ik hebben.
En hij draafde het bos in.

Violet had een heel eind gevlogen met
haar paraplu.
Op het laatst kon ze zich haast niet
meer vasthouden.
Toen ze beneden een bos zag, liet ze los.
Ze hoopte dat ze boven op een hoge boom
zou vallen.
En dat gebeurde.
De dunne takken kraakten en braken.
Dikkere takken bogen door.
Ze tuimelde van de ene tak op de andere.
Toen stond ze op de grond.
Ze had zich geen pijn gedaan.
Maar de paraplu was weg.
En ze was een heel eind van huis.
Nou ja, het had erger kunnen zijn.
Violet zei: ,,Dankjewel boom.
Dat je me zo goed hebt opgevangen.''
En toen ging ze lopen.
Ze dacht: ik ga rechtuit.
Ongeveer daar is, denk ik, ons huis.

Toon had goed gezien waar het paarse
ding was gevallen.
Hij liep het bos in.
Varens en bosbessen werden vertrapt.
Takken die in de weg zaten, rukte hij af.
Vogels vlogen op en een konijn schoot
zijn hol in.
Hij vond het paarse ding.
,,Verdraaid,'' zei Toon.
,,Het is een plu.
Een stomme paarse wijvenplu.
Daar heb je nou net helemaal niets aan.''
Toch nam Toon hem mee.
Hij sloeg er braamstruiken mee opzij en
lastige takken.
En hij prikte in een paddestoel.

Honderdduizend rijksdaalders

Toon kwam uit het donkere bos op de lichte weg.
Daar gooide hij de paraplu aan de kant.
Die had hij niet meer nodig.
Vlak bij zijn bus kwam hij een meisje tegen.
Het meisje zei: ,,Hallo."
Waar heb ik haar eerder gezien? dacht Toon.
Hij bleef bij zijn gelukstent staan en keek haar na.
Het meisje zag de paraplu liggen en raapte hem op.
,,Goeie lieve wensparaplu.
Wat ben ik blij dat ik je weer heb gevonden."
Toon hoorde het half.
Wensparaplu? Zei ze dat? Wensparaplu...
En nu wist hij ook weer waar hij haar had gezien.
Ze had een paarse ballon gekocht.

En ze had met een paraplu tussen de wolken gevlogen.

Wensparaplu.

Toon mompelde:

,,Als het er zo een is, moet ik hem hebben.''

Violet durfde zichzelf niet naar huis te wensen.

De tocht door de lucht was te eng geweest.

Ze zag het huisje van oude oma en belde aan.

De deur ging op een kiertje open.

,,Dag mevrouw,'' zei Violet.

,,Mag ik alstublieft naar mijn moeder bellen?

Ik ben een beetje verdwaald.''

,,Kom maar binnen, kind,'' zei oude oma.

,,Maar een telefoon heb ik niet.

Hoe komt het dat je verdwaalde?''

Oude oma keek verbaasd naar de vuile paraplu.

Hij was haast net zo groot als het
meisje.

En toen werd er weer gebeld.

,,Mevrouw,'' zei Toon. ,,Een hele goeie
middag.

Ik kom voor de jongedame.''

Hij was alweer binnen.

,,Juffrouw, ik wil de schade vergoeden.''

,,Schade?'' Violet begreep er niets van.

,,Dat ding lag in het bos.

Ik heb er een beetje mee gemept.

Wist ik veel dat ie van iemand was.

Maar ik zal het mooi in orde maken.

Jij geeft me dat vieze ding en je adres.

Dan koop ik een nieuwe voor je, net zo
een.

Die kom ik netjes bij je thuis
brengen.''

,,Dat hoeft niet,'' zei Violet.

,,Jawel juffrouw, dat hoort zo.''

Toon pakte de steel van de paraplu al
beet.

Violet hield hem vast.

,,Nee!''

,,Meneer, wilt u alsjeblieft
weggaan?'' zei oude oma.
Toon wilde niets liever.
Hij gaf een flinke ruk en rende de deur
uit.
Met de paraplu.
Violet liep hem na en oma ook.
Toon was hen ver voor.
Al dravend deed hij de paraplu open.
En hij riep: ,,Ik wens honderdduizend
rijksdaalders.''
Er kwam niets.

Toen riep Toon:
,,Ik wens dat die twee daar stokstijf
blijven staan.''
De twee renden door.
,,Ach barst,'' riep Toon.
,,Hij doet het niet, wat een snertplu.''
Hij gooide de paraplu met een grote boog
van zich af.
Toen stapte hij in zijn bus en reed weg.
Honkebonk door de kuilen.
De veren van de oude bus waren niet
meer zo best.
En Toon stuurde slecht, want hij was
woedend.

Oude oma had de paraplu het eerst te
pakken.
,,Wat is ermee aan de hand?'' vroeg ze.
,,Hij deed het verkeerd,'' zei Violet.
,,Je moet eerst wensen en hem daarna
pas opendoen.''
,,En komt je wens dan uit?''
Violet knikte.

,,Ik deed een domme wens,'' zei ze.

,,Daarom ben ik nu hier.''

,,Wel wel,'' zei oude oma.

,,Dus een wensparaplu bestaat echt.
Hoe kom je er eigenlijk aan?''

Violet vertelde van de ballon.

,,Wel wel,'' zei oma weer. ,,Wat een avontuur.''

Ze droeg nog steeds de paraplu.

En ze dacht: Ik heb de ballonnen gekregen.

Dus de paraplu is eigenlijk van mij.

Dit domme kind was niet voorzichtig.

Het is maar goed dat ze hier terechtgekomen is.

Maar nu heb ik mijn wensen klaar.

,,Ik wens ...'' zei oude oma.

,,Ik wens bij mijn eigen kleinkind te zijn.''

Vlug deed ze de paraplu open.

Een stormvlaag blies Violet omver en oude oma was weg.

Niemand heeft haar ooit weer teruggezien.

De fee

Violet had wel zin om te gaan huilen.
Nu was ze haar wensparaplu echt kwijt.
Ze was ver van huis.
En in oma's huisje was geen telefoon.
Ze ging er toch maar naar binnen.
Misschien wenste oma zichzelf wel weer
terug.
Maar ze had er niet veel hoop op.
,,Hoe moet dat nu met jou?'' vroeg ze
aan de kat.
Moedeloos ging ze bij de tafel zitten.
Ze schonk een kopje thee in.
Ze at een lekker koekje.
En ze had geen zin meer om te huilen.
,,Het was een mooi avontuur,'' zei ze
tegen de kat.
,,En nu ga ik op weg naar huis.''
Toen werd er gebeld.
Violet deed de deur open.
Er stond een dame met een vriendelijk
gezicht.

,,Mag ik binnenkomen?'' vroeg ze.

,,Ik weet het niet,'' zei Violet.

,,Dit is niet mijn huis.''

,,Ik ben hier al eerder geweest,'' zei de vriendelijke dame.

Ze ging bij de tafel zitten.

De kat sprong op haar schoot.

,,Heb je een prettige dag gehad?'' vroeg de fee.

,,Ja,'' zei Violet.

,,Vooral het begin, maar ik weet het eind nog niet.

Hoe moet ik naar huis?''

,,Daar kom ik nu juist voor,'' zei de fee.

,,Wat vind je van een bus?

Of ga je liever met paard en wagen?''

,,Ik denk dat de bus wat vlugger gaat.''

De fee knikte.

,,Heel verstandig.''

Ze begon in haar tas te rommelen.

Na lang zoeken vond ze een strippenkaart.

Ze bracht Violet naar de deur.

,,Je moet die kant uit, Violet.

Na vijf minuten zie je de halte.

Na nog eens vijf minuten komt de bus.''

,,Dankuwel mevrouw,'' zei Violet.

,,Denkt u dat oude oma gauw terugkomt?

Wie moet er anders voor de kat zorgen?''

,,Ik denk dat ze niet meer terugkomt.

Ik zal voor de kat moeten zorgen.''

Violet ging op weg.

Ze keek nog eens om en wuifde:
,,Dag aardige mevrouw.
Dag huisje.''
Het gebeurde zoals de fee had gezegd.
Na vijf minuten was ze bij de halte.
Na nog eens vijf minuten kwam de bus.
De volgende dag op school vroegen de
kinderen: ,,Waar is je paraplu?''
,,Kwijt,'' zei Violet.
,,Jammer.''
Daarna praatte niemand er meer over.
Zo gaat het met toverdingen.
Iets wat je moeilijk kunt geloven,
vergeet je het eerst.

De fee was heel voorzichtig geworden.
Ze wilde nog wel eens een wens
weggeven.
Maar dan dacht ze eerst heel goed na.
En ze deed het toch maar niet.
Ze bleef wonen in het huisje bij het bos.
Ze leek net een gewone vriendelijke
mevrouw.
En eigenlijk was ze dat ook.

Andere boeiende Bizonboeken:

Henk van Kerkwijk
De vikingen komen!
Vier woeste vikingen
springen het strand op. Ze
willen geld, bier, worst en
bruinbrood.
,,Wij zijn de vikingen.
Wij zijn gruwelijk,''
schreeuwen ze. ,,We slaan mensen neer
en steken hun huizen in brand.''
Toch is niemand echt bang voor ze...

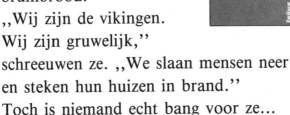

Katherine Scholes
De jongen en de walvis
Een walvis is aangespoeld
op het strand. Hij leeft
nog! De walvis moet snel
terug in zee. In zijn eentje
kan Sam dat niet en hij
durft de walvis niet alleen
te laten. Want de gebroeders Higgs zijn
in de buurt. Zij zullen de walvis zeker
doden. Sam stuurt zijn hond om hulp...